그래도,
라이언

라이언
갈기가 없는 것이 콤플렉스인 수사자
디온여왕
라이언의 조력자, 할머니

보디가드

둥둥섬을 지키는 충실한 경호원

선생님

대관식 준비를 위한 특별 훈련 감독관

차례

1화　둥둥섬 왕국 ……………5

2화　하고 싶은 것 …………19

3화　도망 ……………… 42

4화　기억 ……………59

5화　버려진 것 …………73

6화　D-day ……………… 90

7화　대관식 ………………106

8화　항해 ………………119

9화　해변 ………………135

10화　프렌즈 시티 …………154

보너스 코너 ………………162

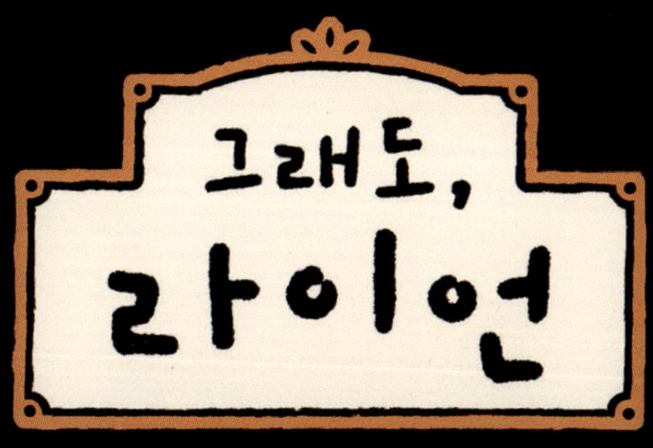

제 1 화
"둥둥섬 왕국"

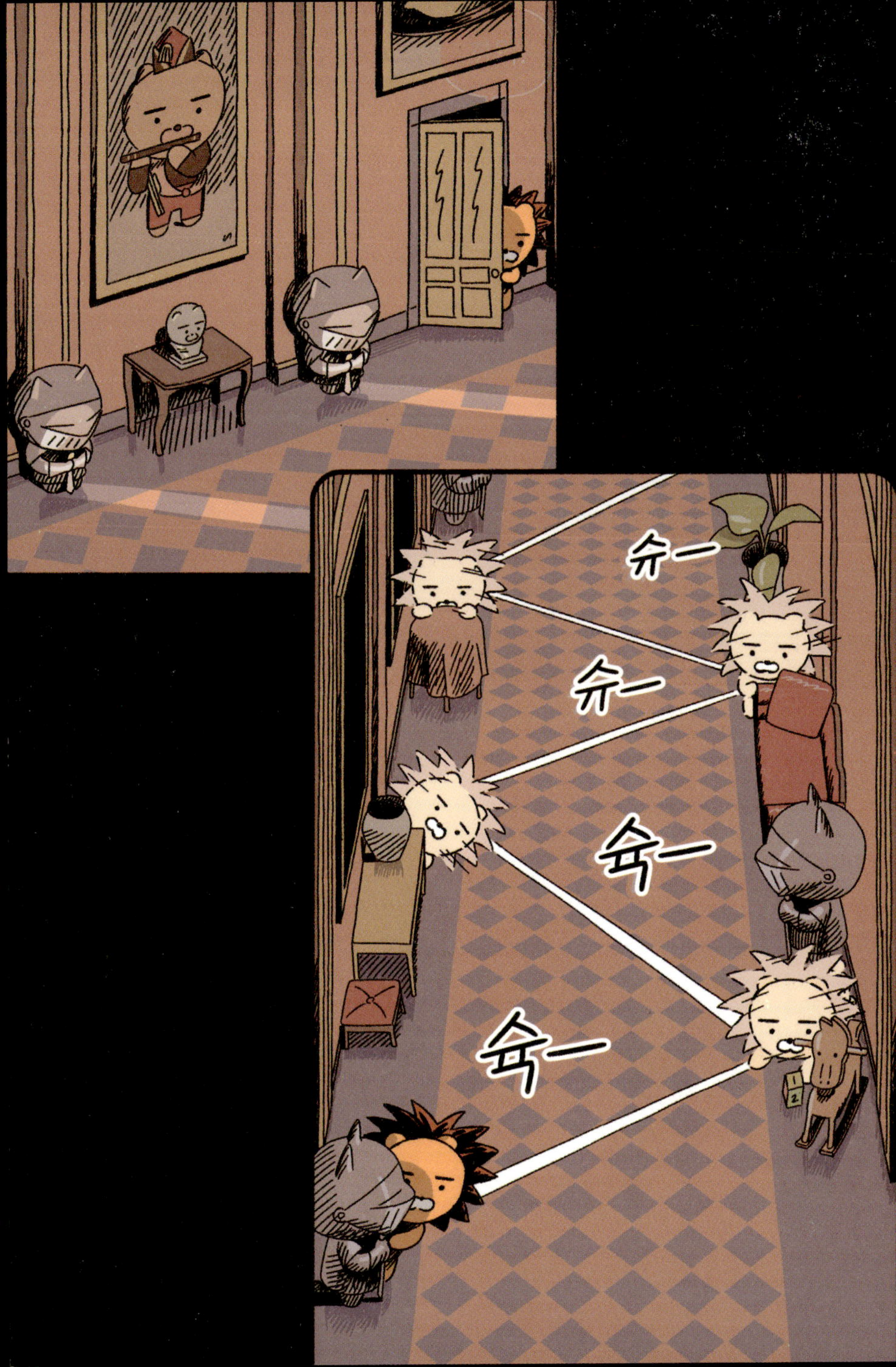

슈—
슈—
슉—
슉—

!
끼익.

솨—
솨—
?
솨—
?
솨—
?
솨—

!
쿵!

에필로그

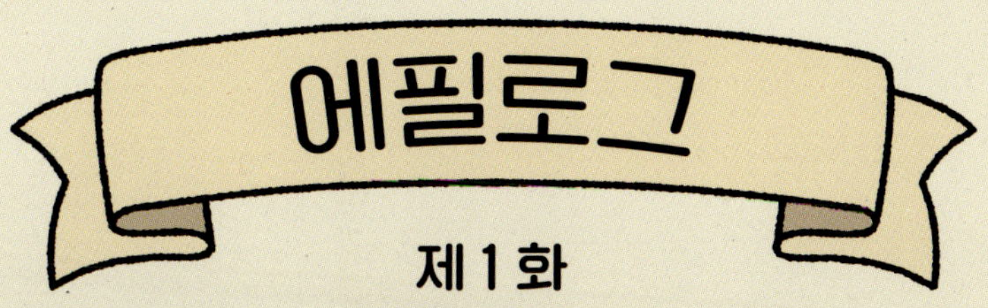

❶ 둥둥섬 이야기

아프리카 어딘가의
신비롭고 알 수 없는 둥둥섬 왕국.
사자들이 왕위를 이어가며 아름다운
자연과 함께 살아가는 왕국이다.

둥둥섬 왕위 계승자로 태어난 라이언.
무뚝뚝한 표정과는 다르게 배려심이 많고
따뜻한 리더십을 가지고 있다.
어릴 적 아버지와 함께한 모험을 추억하며
오늘도 바다 건너 세상에 대한
호기심으로 가득하다.

'폭풍갈기'씨

어린 시절 아빠의 갈기가
부러워 한 땀 한 땀 직접 만든 가발.
모두가 알고 있는 가발이라
변장에 적합할 것 같지는 않다.

2

❸ 둥둥 라이언호

과거 난파된 산타 라이언호의
일부 자재를 이용하여 제작되었다.
내구성이 강화되었으며 작지만
빠른 속도를 자랑한다.

제 2 화
"하고 싶은 것"

팟

척.

딱
딱
딱
대관식
D-10

제 1 장
"사냥"

쾅

제 2 장
"발톱"
투 다 닥

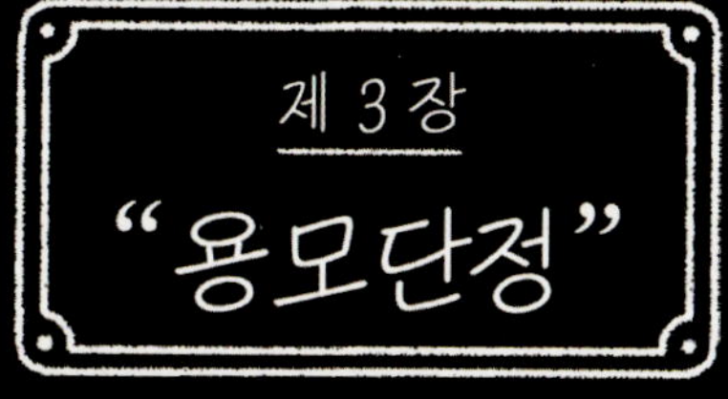

제 3 장
"용모단정"

흠칫
툭

TIME IS GOLD
COOL
COOL
COOL
TONIGHT
TONIGHT
BBQ
BBQ
PIZZA
PIZZA

에필로그

제 2 화

❶ 아카데미 둥둥

왕위 계승자의 교육뿐만 아니라 둥둥섬 내
상위 교육 기관으로써 우수한 일반 백성들에게도 열려 있다.
훌륭한 왕이 되기 위한 왕위 전용 수업 과정이 존재한다.

코끼리 선생님

머리가 좋고 힘이 세며 노련한 코끼리 선생님.
어릴 적부터 라이언의 교육을 담당한다.
수업에 열정적이지만, 눈치는 조금 없는 편이다.

※ 이 밖에도 소리 지르기, 놀라지 않기 등이 있다.

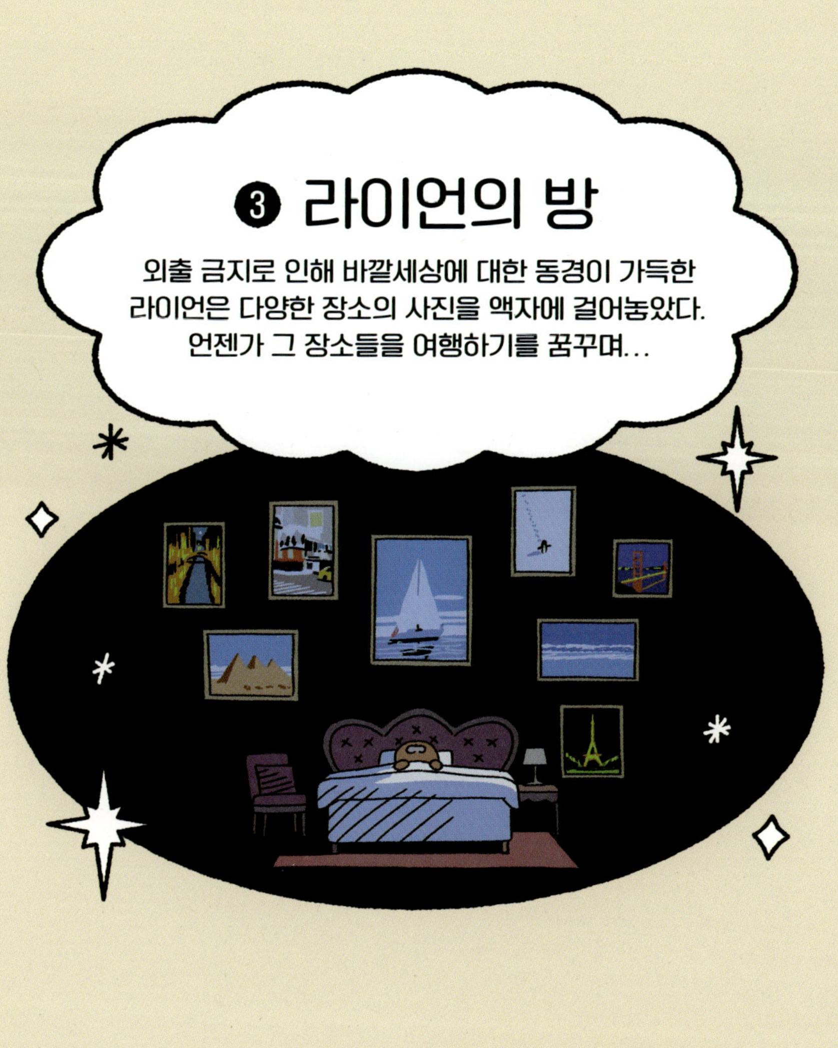

❸ 라이언의 방
외출 금지로 인해 바깥세상에 대한 동경이 가득한
라이언은 다양한 장소의 사진을 액자에 걸어놓았다.
언젠가 그 장소들을 여행하기를 꿈꾸며...

제 3 화
"도망"

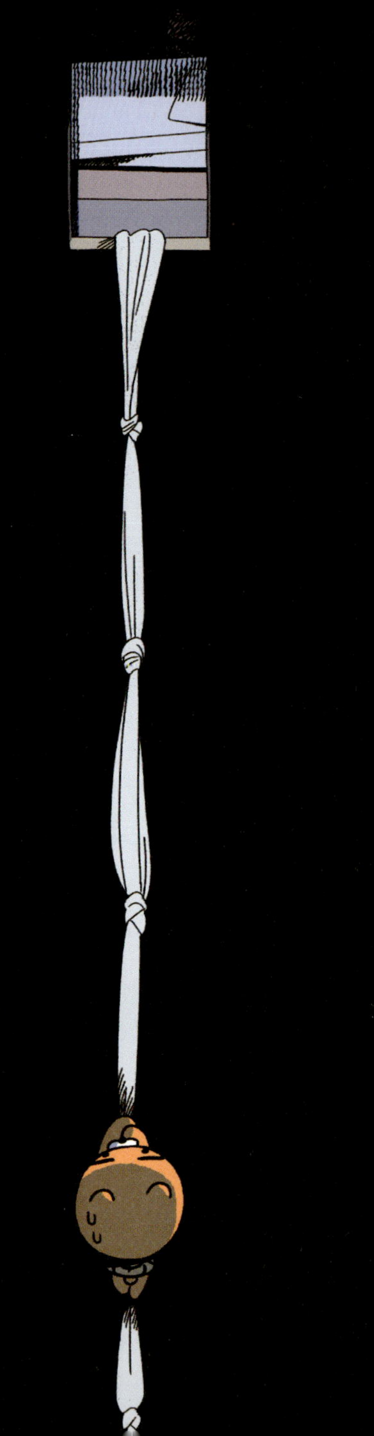

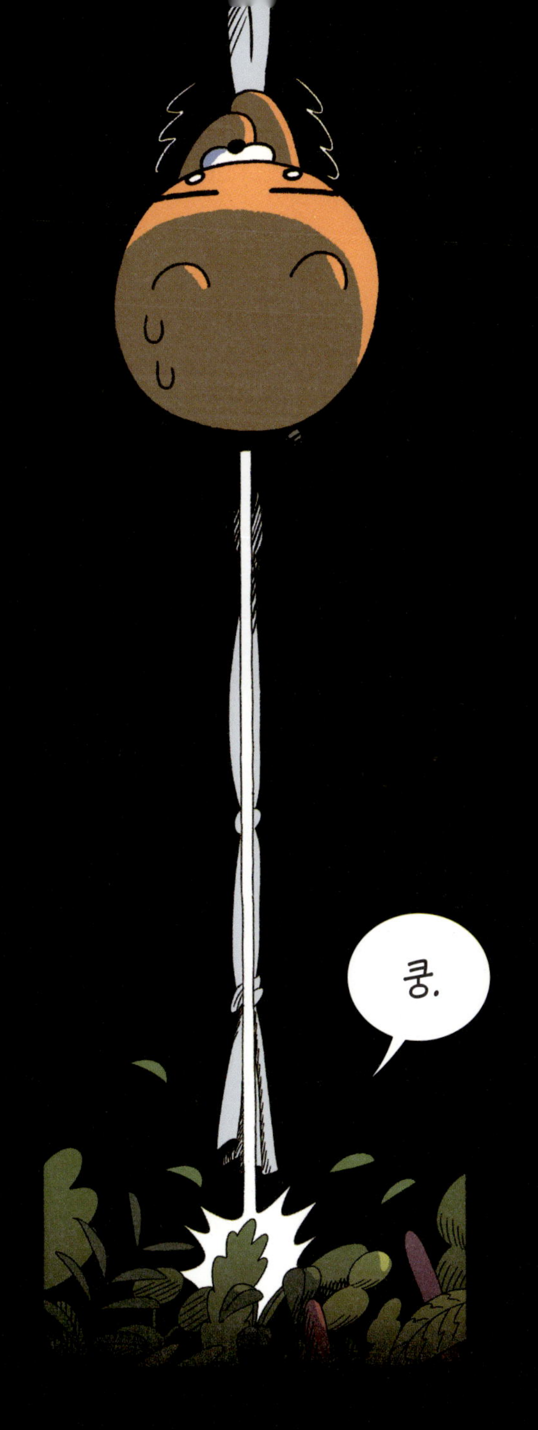
쿵.

!
퐁.

!
툭.
후두둑-
후두둑-

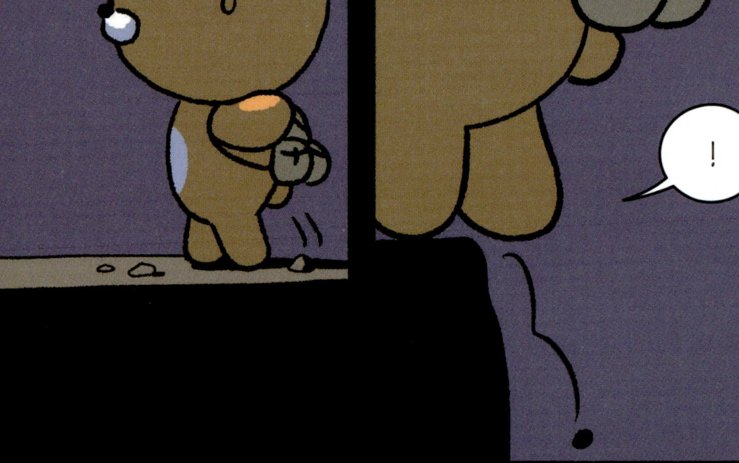

풍덩―

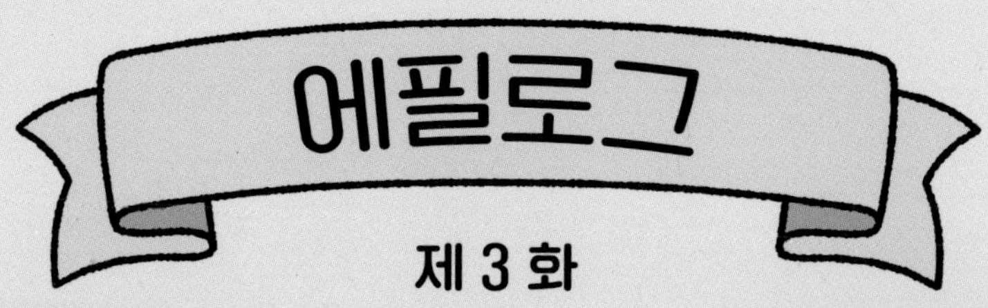

밝은 귀, 조용한 발걸음을 지닌 고양이들로
구성된 왕가 직속 보디가드들.
유니폼으로 검은 정장과 검은 선글라스를 착용한다.
지나치게 귀엽고 어둠에서 반짝이는 눈을 가지고 있어
항상 선글라스 착용은 필수다.

❷ 둥둥섬 도주 계획

라이언의 수첩에는 탈출 계획도 빼곡히 기록되어 있다.
탈출에 필요한 도구, 루트 등 철저한 계획이 있었지만 실행되지 못했다.
목적지인 프렌즈 시티. 언젠가 갈 수 있는 날이 올까?

❸ 둥둥섬 왕가의 상징, 갈기

둥둥섬에는 '왕가의 품격은 갈기로부터 나온다'는 말이 있다.
왕가의 상징인 갈기가 자라지 않는 라이언은
항상 주변의 눈초리에 시달려왔고,
자신에게 어울리지 않는 왕위보다는 자유를 동경하게 되었다.

둥둥섬 선대 왕들을 알아보자

(라이언의 아빠)

. . .

난..왜?

제 4 화
"기억"

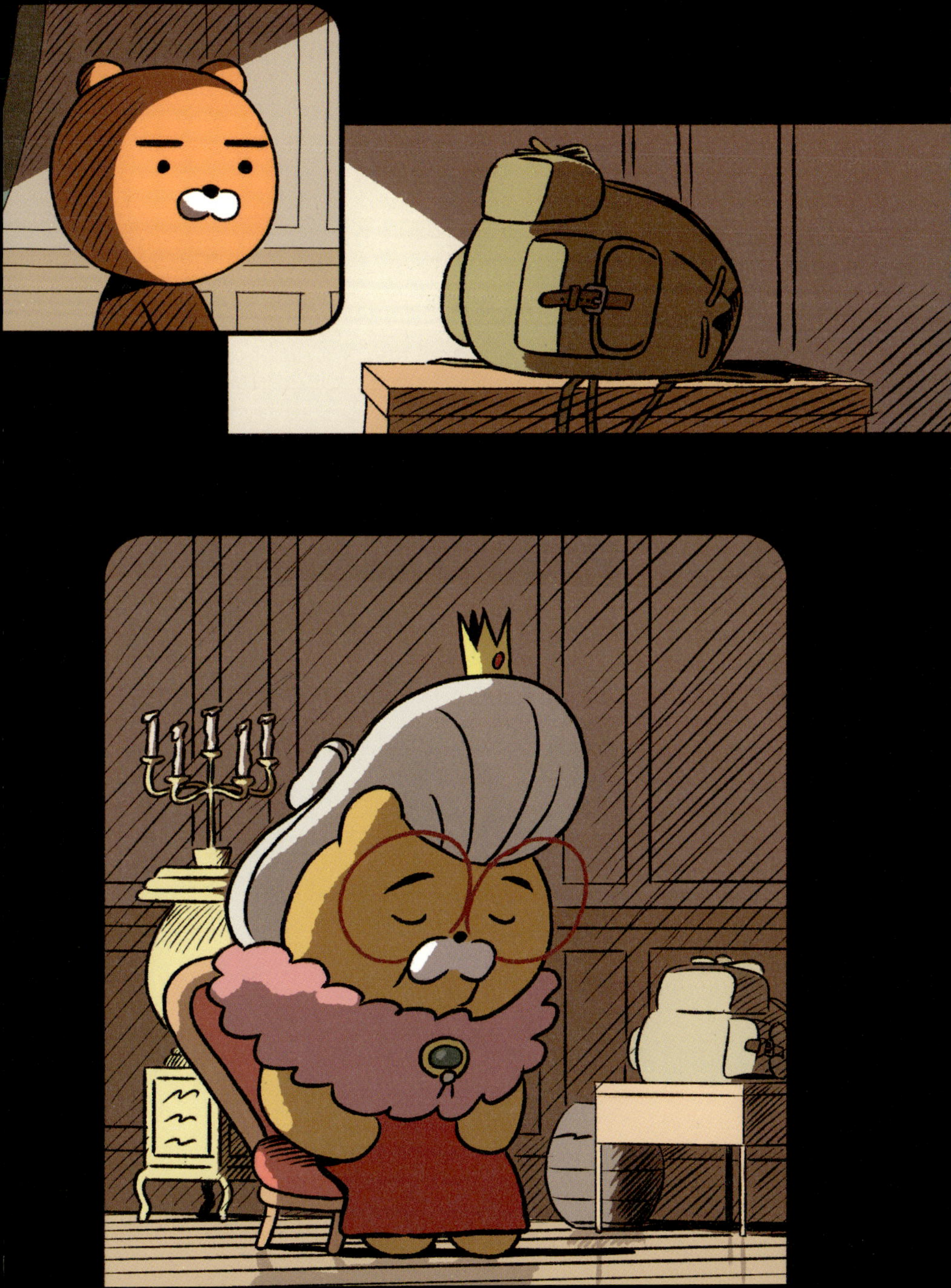

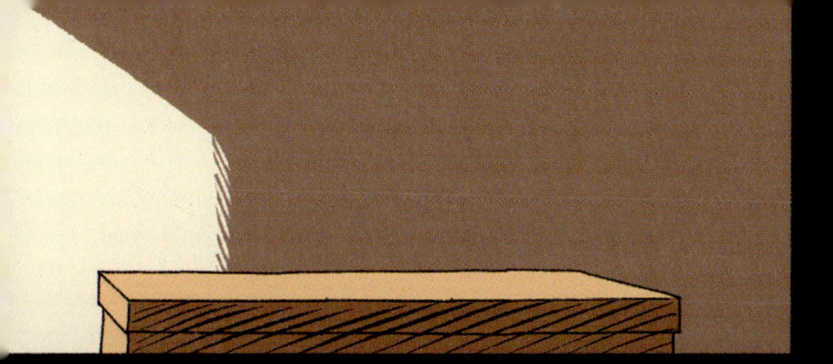

에필로그
제 4 화
04

❶ 물 트라우마

어릴 적 배 사고로 인해 물 트라우마가 있는 라이언.
과거의 기억 속에서 떠오른 부모님을 보며
라이언은 어떤 생각이 들었을까?

❷ 버려진 가방

라이언은 지친 할머니의 모습을 보며
자유보다 가족과 의무를 우선하기로 마음먹고
자유의 상징과도 같았던 가방을 버리게 된다.

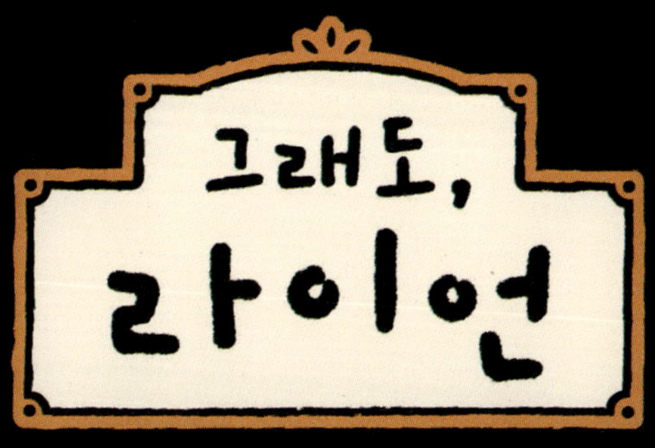

제 5 화
"버려진 것"

덜덜 덜 덜

통.
통.

!

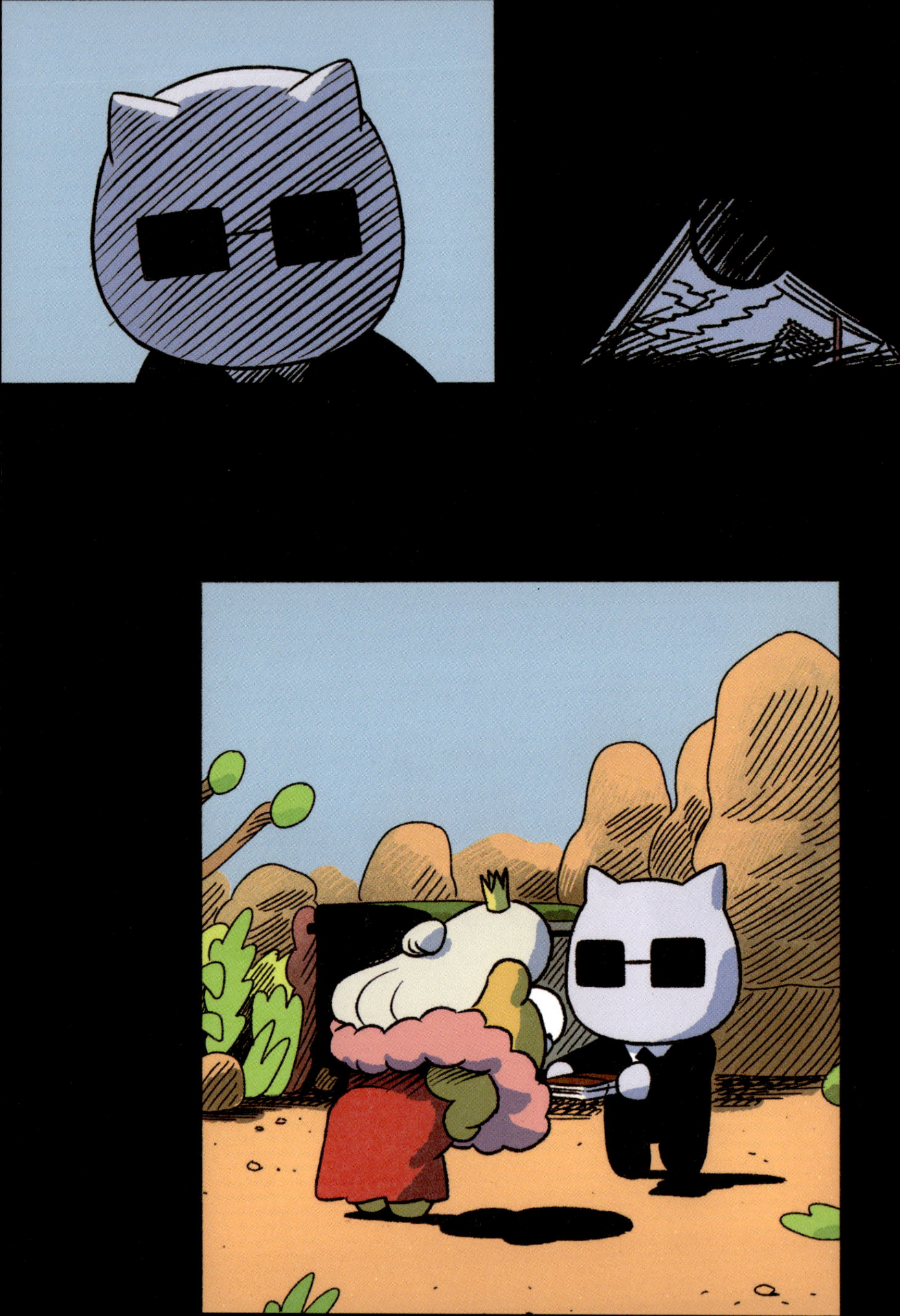

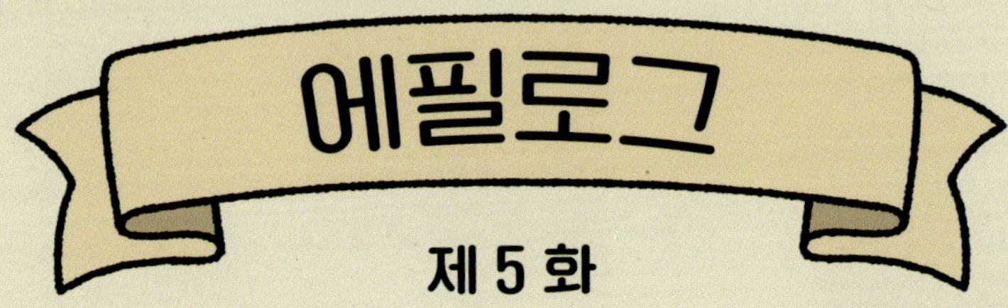

제 5 화

❶ 다이어리

왕위 계승을 선택하고,
모험의 꿈을 포기하는 라이언.
다이어리엔 라이언의 꿈과 열정이
가득 적혀있지만 미련을 버린다.

*버킷리스트가 적힌
소중한 다이어리이다.

❷ 라이언이 버린 애장품

라이언의 꿈이 담긴 물건들을 알아보자.

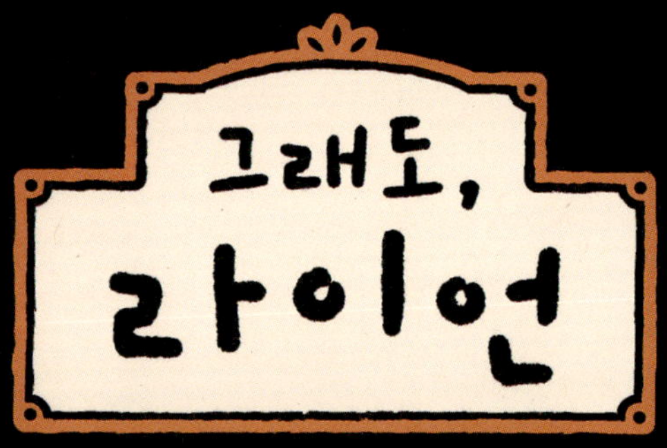

제 6 화
"D-DAY"

휙-
?

휙-
휙-
휙-
!

휙—

헉—

!!!
팟

D-Day 1

슈—

짝
짝
짝

에필로그

제 6 화

06

① **디온여왕**

라이언을 대신해 2대 왕을 임시로 맡고 있는 할머니 디온여왕.
어른이 된 라이언에게 왕좌의 자리를 건네줄 준비를 하고 있다.
홀로 라이언을 키워낸 유일한 라이언의 가족이다.

❷ 첫 가족 여행

어린 라이언 곁에서 항상 용기를 심어주던 든든한 부모님
라이언에게 모험에 대한 호기심을 심어주었던
아주 행복한 첫 추억이 담긴 사진이다.
사진을 본 할머니의 마음은 어땠을까?

❸ 대관식 D-1

라이언은 할머니를 위해 열심히 수업에 임한다.
코끼리 선생님조차 칭찬할 정도로 한껏 성장한 라이언.
내일, 왕위 계승을 위한 준비를 모두 마쳤다.

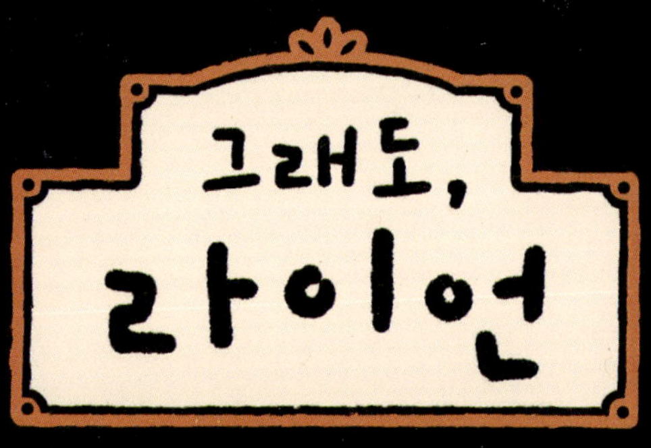

제 7 화
"대관식"

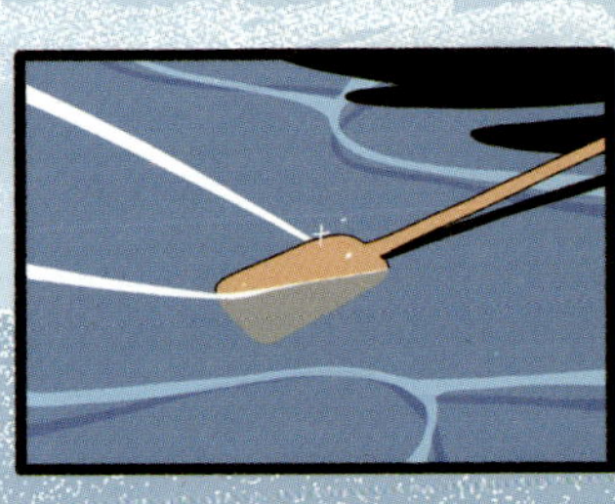

에필로그
제 7 화
07
❶ 대관식 당일
드디어 대관식 당일,
둥둥섬 주민들이 라이언의 왕위를
축하하기 위해 자리를 빛내고 있다.

라이언이 등장할 줄 알았던 대관식에
건재한 디온여왕이 등장한다.
라이언을 대신해 2대 여왕으로
앞으로 둥둥섬을 이끌어 가게 된다.
2대 여왕
'디온'
왕관의 종류
기본 왕관
대관식
여왕 왕관
자주 쓰는 기본 왕관.
일상 생활에 적합한
심플한 디자인이 특징이다.
왕권을 이어가는
대관식을 위한 왕관.
화려함이 돋보인다.
디온여왕 전용 왕관.
고풍스러운 디자인과
보석이 특징이다.

❸ 그 시각 라이언은?

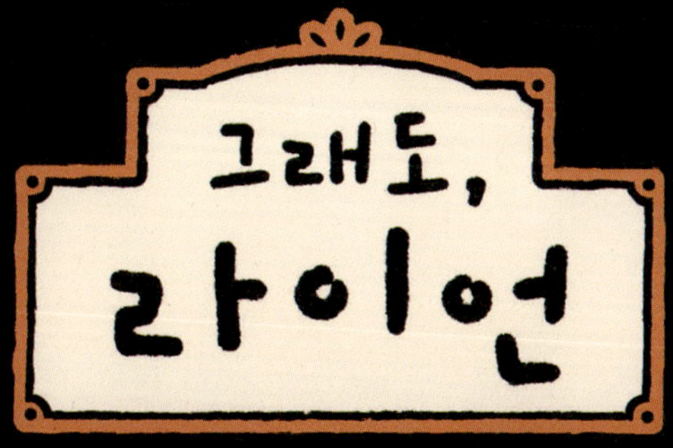

제 8 화
"항해"

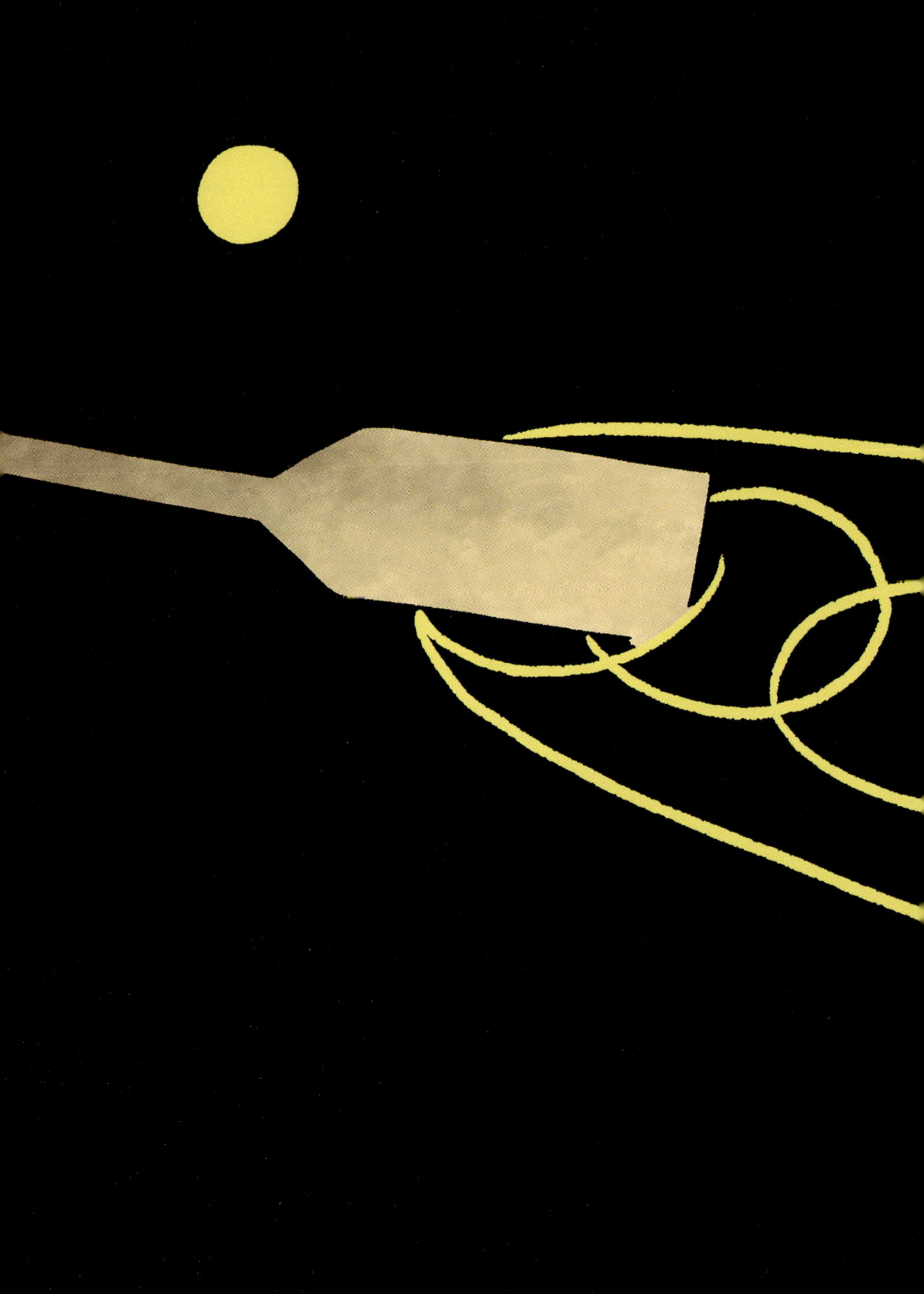

에필로그

제 8 화

❶ 할머니의 편지

떠나는 라이언을 위한 편지와
둥둥섬 왕국의 비밀 이동 경로가 담긴 지도.

② 비밀 이동 경로

복도

열쇠를 미리 챙기고
자정이 되면 보디가드 경비 교대
시간으로 잠시 자리가 비워져
있는 틈을 타야함

대나무 숲
아카데미 둥둥 뒷편
대나무숲은 훈련 장소로
코끼리 선생님 관할이라
경호원들을 피해갈 수 있음

나룻배
동굴 입구 작은문을 열고
내려가면 나룻배 하나가 있음

도착!

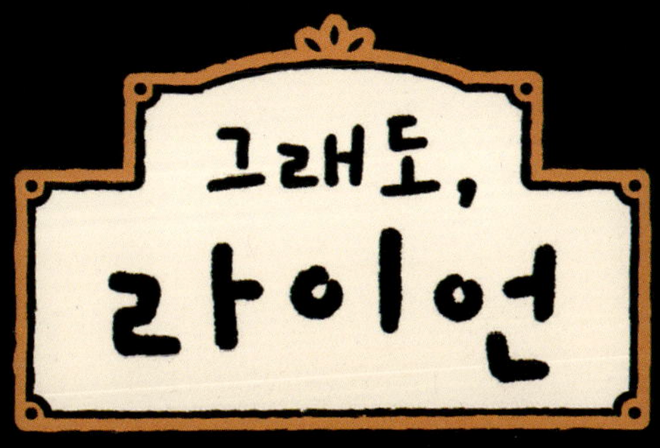

제 9 화
"해변"

꼬르륵.

첨벙.

푸하.

뻐끔.

뻐끔.

뻐끔.

삐끔.

폼

쾅.

에필로그
제 9 화

09

① 갈매기 세바스찬

라이언과의 첫 만남은 그리 좋지 않았지만,
먹이를 찾는 과정에서 둘 사이에 묘한 우정이 피어났다.
세바스찬은 맛있는 한 끼를 얻은 보답으로 라이언에게
육지로 가는 길을 안내해준다.

❷ 신비한 고래

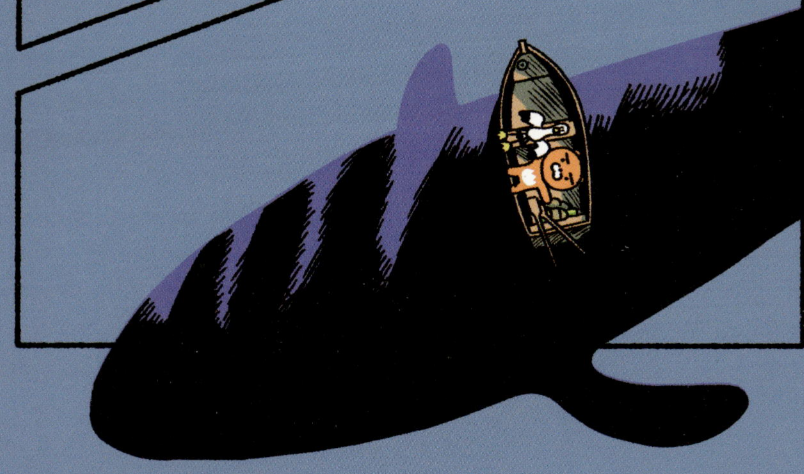

라이언과 세바스찬이 위기에 처했을 때,
어디선가 나타난 거대한 고래.
고요한 바다를 가르며 등장한 고래는
물고기 떼를 힘차게 뿜어 올려 둘을 구해주었다.
그 행동은 단순한 본능일까,
아니면 높은 지능에서 비롯된 것일까?

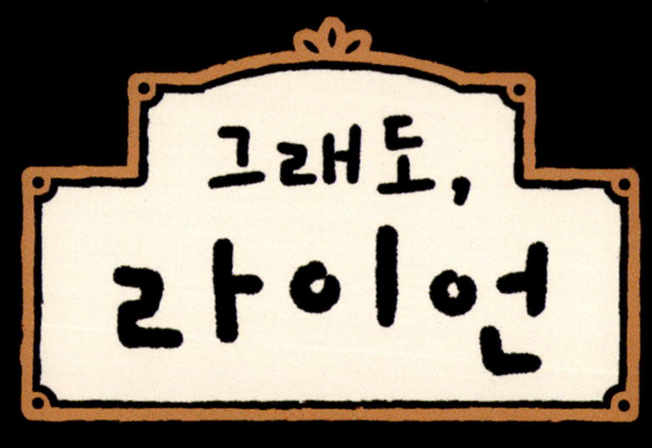

제 10 화
"프렌즈 시티"

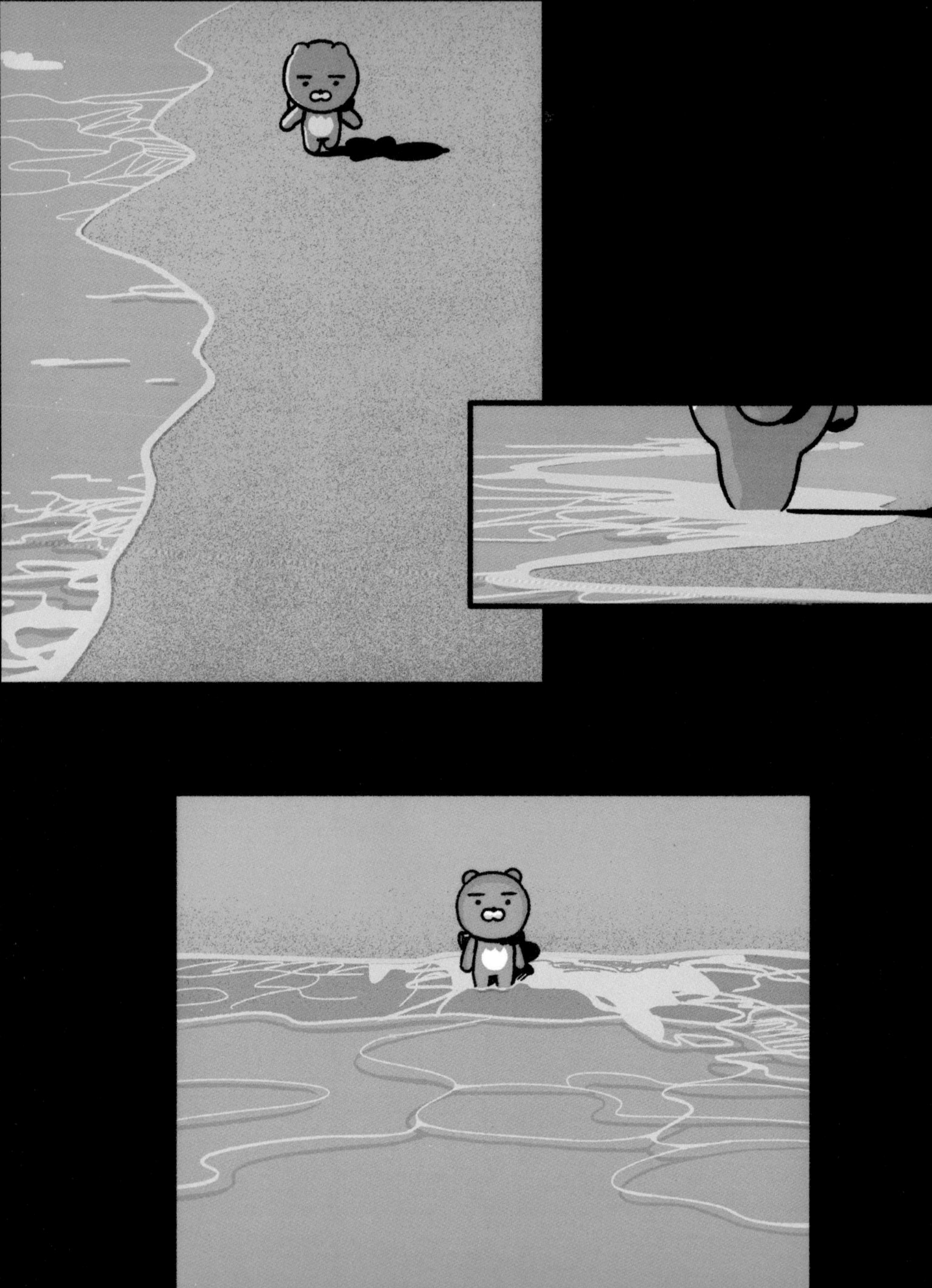

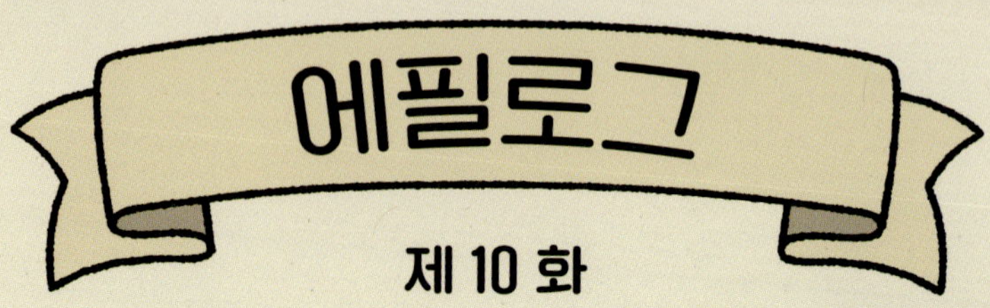
에필로그
제 10 화
10

너의 꿈을 응원해.
안녕!

~ The End ~

보너스 코너

1화 월페이퍼

2화 월페이퍼

2화 월페이퍼

2화 월페이퍼

4화 월페이퍼

5화 월페이퍼

6화 월페이퍼

7화 월페이퍼

8화 월페이퍼

9화 월페이퍼

튜브와의 첫 만남

그래도, 라이언

2025년 5월 25일 1판 1쇄 인쇄
2025년 6월 12일 1판 1쇄 발행

글 그림 카카오

발행인 황민호
전략콘텐츠사업본부장 박정훈
편집기획 신주식 김선림 최경민 윤혜림
디자인 All design group 중앙아트그라픽스
마케팅 이승아 | **국제판권** 이주은 | **제작** 최택순 성시원 진용범
발행처 대원씨아이(주) | **주소** 서울특별시 용산구 한강로 3가 40-456
전화 (02)2071-2017 | **팩스** (02)749-2105 | **등록** 제3-563호 | **등록일자** 1992년 5월 11일
www.dwci.co.kr

ISBN 979-11-423-2176-4 (07810)